Redactie:	Larry Iburg
Omslagontwerp:	Erik de Bruin, www.varwigdesign.com Hengelo
Lay-out:	Christine Bruggink, www.varwigdesign.com
Foto's:	Edith Louw (Pag. 14, 31, 36)
	Evelien Hof (Pag. 22)
	Christine Bruggink (Omslag, pag. 6, 32)
Druk:	Grafistar, Lichtenvoorde

ISBN 978-90-8660-107-3

Postbus 30227
6803 AE Arnhem
www.ellessy.nl

WWW Beroepen

wij willen weten

Deel 12A

Edith Louw

WERKEN op de Manege

(Werken met paarden)

ELLESSY JEUGD

Inhoudsopgave

Borstelen en hoeven krabben hoort bij paarden verzorgen.

Inleiding

Voor veel mensen hebben paarden iets heel speciaals. Dat is altijd al zo geweest. In ons land zijn het vooral jonge meiden die zichzelf 'paardengek' noemen. Maar ook jongens kunnen gek op paarden zijn. Misschien heb jij ook je kamer vol met paardenposters hangen. Misschien zou je later zelfs wel graag op een manege willen werken! De hele dag, van 's morgens vroeg tot 's avonds laat tussen de paarden, dat klinkt vast geweldig. Paarden kunnen je liefste vrienden zijn, paardrijden is een prachtige sport en je leert er enorm veel van.

In dit boekje gaan we je uitleggen hoe je die droom waar kunt maken. Welke opleiding kun je volgen, wat moet je allemaal leren en welke eigenschappen moet je ontwikkelen?
We zullen ook uitleggen dat het niet alleen maar een droombaan is. Want werken met paarden is zwaar en er zitten ook minder leuke kanten aan zo'n baan. Misschien heb je zelf al eens meegemaakt dat je lievelingspaard ziek werd of kreupel raakte. Of misschien heb je wel eens een ongelukje meegemaakt. Toch geven de meeste paardengekken het niet op, want als je eenmaal van paarden houdt, gaat dat niet zomaar over...

We gaan eerst kijken naar een stukje geschiedenis en wat het werken op een manege inhoudt. Daarna kijken we naar opleidingen en mogelijkheden.
Soms staat een woord schuin (*cursief*) gedrukt. Wat zo'n woord betekent, kun je vinden in de verklarende woordenlijst achterin.

De auteur

1. Een stukje geschiedenis

Geschiedkundigen denken dat de eerste paarden ongeveer zesduizend jaar geleden werden getemd. Dat begon ergens in het zuiden van Rusland. Waarschijnlijk werden ze eerst voor een wagen of ploeg gespannen, net als ossen, en gingen mensen er pas later op rijden. Dat moet een hele verandering zijn geweest voor deze mensen. Ineens konden ze veel grotere afstanden afleggen. Ze konden vrachten vervoeren, jagen te paard en het land bewerken. Zonder paarden zouden we ons nooit zo snel ontwikkeld hebben. Over die eerste mensen en hun paarden weten we maar heel weinig.

Uit latere tijden weten we veel meer. Zo kunnen we in oude verhalen lezen over Romeinen die te paard bijna heel Europa veroverden, over Arabische paarden die bij hun baasjes in tenten woonden, over fantasiepaarden met vleugels of een hoorn op hun hoofd. Koningen hadden de mooiste en beste paarden, waarmee ze zichzelf lieten schilderen. Boeren hadden sterke paarden die hen op het land hielpen, koetsiers gebruikten paarden om met hun koets mensen te vervoeren. Paarden werkten in molens, als vervoersmiddel voor postbezorgers, dokters, *struikrovers* en andere mensen die snel ergens heen moesten gaan. Ze trokken vaartuigen vanaf de oever, vochten in oorlogen en droegen hun baasjes waarheen ze maar wilden gaan. Ze voeren mee op schepen naar Amerika, waar vroeger geen paarden voorkwamen.
En altijd waren er mensen die met hun hele hart van paarden hielden en niets liever wilden dat met deze sterke en edele dieren werken. Het paard werd zelfs zo vereerd, dat we nog steeds zeggen dat ze een hoofd, benen en een mond hebben in plaats van poten, een bek en een kop.

Paardrijden is ontspanning voor heel veel mensen, en al helemaal door een bosrit of langs het strand.

Tegenwoordig heeft het paard een heel andere rol. We hebben auto's, treinen en vliegtuigen om ons te vervoeren. Tractoren en andere machines hebben het werk op het land overgenomen. En wie wil laten zien hoe rijk hij wel niet is, koopt niet langer een mooi paard, maar een dure auto, een groot huis of een geweldig plasma tv-toestel.
Maar de mensen die van paarden houden zijn er nog steeds. Ze zitten nu vooral voor hun lol op een paard. Ze rijden door het bos of doen mee aan wedstrijden. En voor sommigen is gewoon het verzorgen en samen zijn met een paard het mooiste wat er bestaat. Behalve sport en recreatie hebben paarden nog meer belangrijke taken gekregen. Ze worden bijvoorbeeld gebruikt voor gehandicapte mensen, voor kinderen met problemen of om mensen te leren leiding te geven aan anderen. Ze schitteren in films en treden op in het circus, of ze werken bij de politie.
De rol van het paard is veranderd, maar nog lang niet uitgespeeld!

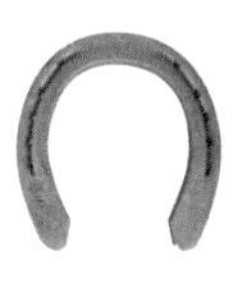

2. Werken op een manege

Paardrijden is moeilijk. Het ziet er soms heel makkelijk uit, maar als je wel eens op een paard of pony hebt gezeten, weet je dat het best moeilijk is om hem te laten doen wat je wilt. Daarom is er een speciale school om te leren paardrijden: de manege of rijschool.
Op een rijschool rijd je meestal in een groep op de paarden en pony's van de manege. Je krijgt les van een instructeur die je vertelt wat je moet doen. Een instructeur is dus iemand die op een manege werkt als leraar. Maar er zijn nog veel meer mensen die een manege draaiende houden. Er zijn stalhulpen die de paarden verzorgen, die ze in het weiland zetten en weer naar binnen halen, die de stallen uitmesten en het tuig (zadels en hoofdstellen) onderhouden. Er zijn mensen die de lessen indelen en informatie geven, mensen die in de kantine werken, mensen die de gezondheid van de paarden in de gaten houden, de *hoefsmid* bellen en voer bestellen, de rijbak onderhouden en ga zo maar door. Er is altijd wel wat te doen op een manege!

Een dag op de manege

Er zijn grote en kleine maneges, en elke rijschool doet dingen op z'n eigen manier. Je kunt dus niet spreken van vaste regels, maar op de meeste maneges ziet een dag er ongeveer zo uit:

7.00 De paarden worden gevoerd. Ze krijgen hooi (gedroogd gras) en krachtvoer (*biks* of muesli).

7.30 Terwijl de paarden staan te eten wordt er uitgemest. Dat wil zeggen dat de mest (poep) en nat stro in een kruiwagen worden geschept. Op grote maneges gebeurt dit soms met een (mini)tractor.

9.00 De eerste leerlingen komen. Paarden die niet hoeven te rijden gaan soms naar het weiland. Niet elke manege heeft weiland. Soms gaan de paarden in een zandbak (paddock).

12.00 Pauze. De paarden krijgen weer een portie hooi. De paarden die in de lessen hebben gelopen kunnen nu naar buiten, de paarden voor de middaglessen worden naar binnen gehaald.

14.00 De middaglessen beginnen. Op woensdag en in het weekend zijn dit vaak kinderlessen.

17.00 De paarden krijgen weer eten. De paarden die buiten lopen worden weer naar binnen gehaald.

19.00 Avondlessen.

22.00 De paarden krijgen voer voor de nacht. De laatste controles worden uitgevoerd. De stal wordt gesloten, de lichten gaan uit.

Wie werken er op een manege?

Er is altijd veel te doen op een manege. De paarden hebben elke dag verzorging nodig, ook in het weekend! De taken worden verdeeld over verschillende mensen. Maar op een kleine manege kan één persoon wel verschillende functies hebben; instructeurs helpen vaak ook in de stallen en de eigenaar is vaak manager (zie pagina 15) en ook kan hij of zij lessen geven of achter de bar in de kantine staan! De allerbelangrijkste medewerkers zijn natuurlijk de paarden en pony's.

Stalhulp

De stalhulp is voor de paarden de belangrijkste persoon. Vroeger werd dit "stalknecht" genoemd, maar die naam is erg ouderwets geworden. Hij heeft veel taken die allemaal te maken hebben met de paarden zelf. In elk geval is hij degene die de paarden voert en de stallen uitmest. Op sommige maneges mogen de leerlingen zelf hun paard poetsen en zadelen, op andere is ook dit het werk van de stalhulp. De stalhulpen kennen de paarden meestal goed en zijn vaak de eersten die zien als een paard niet in orde is. Een snotneus, een wondje of een ander probleem valt zo iemand meteen op. Soms moet een kreupel paard *aan de hand gestapt* worden, het kan nodig zijn om een dier te *longeren* of de benen af te spuiten met koud water. Al dit soort taken horen tot het werk van de stalhulp.

Het kan ook zijn dat je als stalhulp nieuwe paarden uitprobeert met rijden, of lichte beweging geeft na een *blessure* voordat het

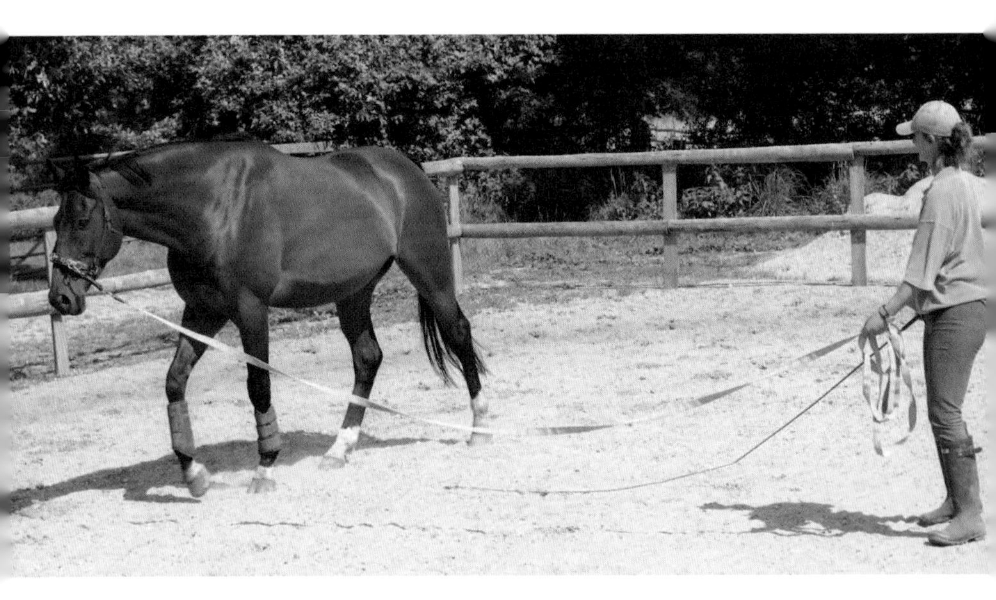

Longeren is het paard in cirkels om je heen laten lopen aan een lang touw

dier weer in de les mag lopen. Je zult dus als stalhulp best wel eens op een paard zitten, maar het is niet je belangrijkste taak. Taken waar je misschien niet meteen aan denkt kunnen ook tot het werk van de stalhulp behoren, zoals het schoonhouden van de kantine en de toiletten en het terrein. Dat betekent dat je als stalhulp veel moet vegen!

Instructeur

De instructeur geeft les. Op grotere maneges zijn vaak meerdere instructeurs aanwezig. Je kunt je als instructeur specialiseren in bijvoorbeeld kinderlessen, *springlessen* of privé-lessen. Privé-les wil zeggen dat je les geeft aan één ruiter en paard. De meeste lessen zijn in groepen.

Op een manege kun je ook werken als instructeur om anderen te leren paardrijden.

De instructeur moet ervoor zorgen dat alle klanten in de juiste les rijden. Er zijn beginnerslessen en lessen voor ruiters die al wat meer kunnen. Vaak is het ook de taak van de instructeur om de paarden in te delen: hij kijkt dan goed welke klant bij welk paard past. Dat is heel belangrijk, want alle paarden hebben hun eigen karakter en *temperament*. Een bange beginner moet een lief en rustig paard hebben, een gevorderde ruiter heeft meer aan een paard dat lekker vlot loopt en moeilijkere oefeningen kan doen.

De instructeur moet niet alleen goed met paarden kunnen omgaan, maar ook met mensen! Hij moet goed opletten of iedereen wel voldoende aandacht krijgt en iets leert in de les.

Daarnaast moet hij de paarden goed in de gaten houden. Hij moet meteen kunnen zien of de paarden wel gezond zijn en goed lopen. Ook de instructeur is dus een belangrijke persoon in het leven van de paarden.

Soms zal de instructeur de paarden zelf wat training geven; zo komt hij erachter hoe je elk paard het beste kunt rijden. Dat kan

Als je op een manege werkt heb je vaak meerdere baantjes. De instructeur kan ook buitenritten organiseren en rijdt dan zelf mee.

hij dan weer gebruiken in de lessen. Als instructeur zul je dus ook wel eens op een paard zitten.
Op maneges waar buitenritten worden georganiseerd, is het vaak de instructeur die voorop rijdt. Soms zijn er andere mensen die de buitenritten begeleiden.

Kantinemedewerker
Heel veel maneges hebben een kantine. Hier kunnen de klanten een kopje koffie of thee drinken en soms wordt er ook ('s avonds)

alcohol geschonken. Ook worden er vaak versnaperingen verkocht, zoals zakjes chips en koek. Of er wordt patat of broodjes verkocht. Als kantinemedewerker werk je dus eigenlijk in de horeca.
Naast de verkoop van drankjes en voedsel heeft de kantinemedewerker nog een belangrijke taak: hij vertelt de klanten op welk paard ze rijden. Dit staat in een boek of in de computer. Sommige maneges maken lijstjes die bij de stallen hangen, ook dit is vaak de taak van de kantinemedewerker, in samenwerking met de instructeur. Daarnaast is deze persoon meestal verantwoordelijk voor de telefoon: als er mensen bellen om informatie te vragen of een les af te spreken, krijg je hem of haar aan de lijn.
Als kantinemedewerker heb je niet zo heel veel met de paarden te maken. Je zult niet zo vaak op een paard zitten, tenzij je zelf les neemt natuurlijk.

Manager

De manager is degene die alles in de gaten houdt en de andere medewerkers instructies geeft. Vaak is dit de eigenaar van de manege, maar niet altijd natuurlijk. De manager moet iemand zijn die goed overzicht kan houden en leiding kan geven. Hij vertelt iedereen wat ze die dag moeten doen. Ook moet hij precies weten welke paarden iets mankeren en daarvoor de dierenarts, de tandarts of de *hoefsmid* regelen. Wanneer er een nieuw paard moet komen, is hij meestal degene die op zoek gaat. Dat betekent dat je veel verstand van paarden moet hebben, want lang niet elk paard is geschikt voor het werken op de manege. Andere taken van de manager zijn: het zorgen voor goed passende zadels en hoofdstellen, beslissingen nemen over de paarden en alles wat er verder speelt rond het leiden van een manegebedrijf. Het is erg verantwoordelijk werk.

Eigenaar

Misschien lijkt je dat wel het allermooiste: eigenaar zijn van een manege. Als eigenaar bepaal je natuurlijk heel veel: wat voor

soort paarden er staan, hoe de lessen verlopen, of je de paarden binnen of buiten laat wonen, wat ze te eten krijgen... Je bepaalt ook zelf hoeveel en welke taken je wilt uitvoeren. Sommige manege-eigenaren geven les of verzorgen de paarden, anderen laten al dat soort werk aan hun personeel over.
Nu is het opzetten van een manege niet zomaar iets. Je moet natuurlijk een hoop geld hebben. Je moet tenslotte een manegeterrein kopen of huren, en een heel stel paarden en pony's aanschaffen. Ook het onderhoud van de paarden (voer bijvoorbeeld) en het betalen van je personeel kost veel geld.
Sommige mensen komen uit een rijke familie of hebben een ander

Als je zelf paarden hebt kost het je veel tijd voor het verzorgen.

bedrijf dat veel geld oplevert. Anderen lenen geld van de bank. Het komt ook voor dat mensen samen een manege opzetten of klein beginnen en later uitbreiden. Dat kan soms ook als je een partner hebt met een goede baan.

Om een manege te starten heb je naast veel liefde voor paarden ook inzicht nodig in economie en moet je een beetje *commercieel* zijn. Dat wil zeggen dat je goed moet beseffen dat de paarden er zijn om geld mee te verdienen. Je hebt heel wat diploma's en vakkennis nodig zoals bedrijfskunde, boekhouden, horeca en ga zo maar door. Het kan heel goed zijn om eerst een aantal jaar ervaring op te doen voor je zo'n eigen bedrijf start.

Je eigen paard?

Op sommige maneges staan, naast de manegepaarden, ook privé- of *pensionpaarden.* Dit zijn paarden van klanten, die meestal ook door de stalhulpen verzorgd worden. Soms lopen *pensionpaarden* ook wel eens mee in de les; de eigenaar hoeft dan minder stalgeld te betalen.

Het is ook mogelijk voor klanten om een manegepaard te leasen: dan blijft het paard van de manege, maar mogen de klanten het als hun eigen paard beschouwen. Ook voor deze paarden moet natuurlijk goed gezorgd worden.

Vaak is het mogelijk om, als je op een manege werkt, er een eigen paard te stallen. Meestal hoef je dan minder te betalen dan andere klanten, omdat je er werkt.

Je kunt ook je eigen paard stallen op een manege.

De voordelen

Wil je graag met paarden werken, dan is een manege een prima plek. Je bent de hele dag in de buurt van de paarden en werkt veel met ze. Je kunt met de paarden een band opbouwen. Je hebt weinig te maken met wedstrijden en de bijbehorende *stress*. De mees-

Het is soms wel hard en zwaar werk.

te paarden blijven lang op de manege; je hoeft dus niet steeds afscheid te nemen. Je kunt helpen met het organiseren van leuke activiteiten en je verder ontwikkelen. Heel wat instructeurs en manege-eigenaren zijn begonnen als stalhulp.

De nadelen

Helaas zijn er natuurlijk ook nadelen. Het werk is lichamelijk vrij zwaar, zeker als je in de stallen werkt. De dagen zijn lang en over het algemeen verdien je niet heel erg veel. Bij veel banen heb je vaste werktijden en kun je om 5 uur naar huis. In de paardenwereld is dat niet altijd zo. Als een paard iets mankeert, ga je natuurlijk niet naar huis. Dan kan het zomaar gebeuren dat je de hele avond met zo'n dier bezig bent en amper aan eten toekomt. Natuurlijk kun je naast de paarden gewoon een gezin hebben.

Maar opvallend veel "paardenmensen" kiezen ervoor om geen kinderen te krijgen.
Je moet ook een beetje hard zijn. Misschien vind je het moeilijk om te zien hoe beginners onhandig met de paarden omgaan of hoe sommige ruiters hard schoppen of de paarden slaan. Soms moet een paard werken, ook als het dier helemaal geen zin heeft. En wat echt rot is: soms wordt een paard oud of kreupel en als hij niet meer kan werken, dan moet hij weg. Vaak gaat zo'n dier naar de slacht... Daar moet je allemaal wel goed mee om leren gaan. Je moet er tegen kunnen.

Verschillende soorten maneges
Er zijn heel wat verschillende soorten maneges. Natuurlijk is er het verschil tussen grote en kleine maneges: er zijn er die minder dan tien paarden hebben, en er zijn er die wel tachtig of meer paarden op het bedrijf hebben! Maar ook andere dingen verschillen. Er zijn maneges die zich speciaal bezig houden met het rijden voor gehandicapten, zoals mensen in een rolstoel of met een verstandelijke beperking. Er zijn maneges waar *dressuurrijden* voorop staat of die vooral buitenritten en ponykampen organiseren. Er zijn er die zich richten op het omgaan met paarden en die hun klanten willen leren om op een andere manier met paarden bezig te zijn. Er zijn *westernmaneges*, maneges met *IJslanders*, uitsluitend pony's of alleen maar paarden. Keuze genoeg dus en in de loop van je opleiding zul je merken wat jou het meeste aantrekt. Maar misschien weet je dat allang al...

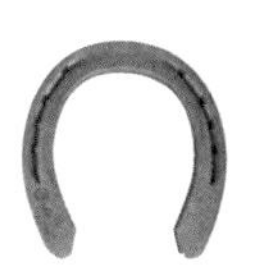

3. Op weg naar werken op de manege

Als je op een manege wilt werken, is natuurlijk de eerste eis dat je heel veel van paarden houdt. Anders hou je het werk niet vol. Je moet veel weten over paarden en hun verzorging; het is handig als je goed kunt rijden en ook moet je goed met mensen om kunnen gaan – ook de lastige klanten!

Voorbereiden

Denk je erover om later op een manege te gaan werken (of iets anders met paarden te gaan doen) dan is het goed om zoveel mogelijk ervaring op te doen. Misschien ben jij zo gelukkig dat je een eigen pony hebt. Dat is natuurlijk geweldig! Heb je niet zoveel geluk, dan kun je op zoek gaan naar een verzorgpony. Dat is een pony (of paard) van iemand anders waar je voor mag zorgen en op mag rijden. Op die manier kun je heel veel leren.
Een prima vooropleiding is een vmbo-groen opleiding. Dit is een middelbare school waarbij je veel praktijkervaring op doet met landbouw en dierverzorging. Maar ook wanneer je havo of vwo gaat doen, kun je je voorbereiden op een vervolgopleiding in de paarden. Een vakkenpakket met in elk geval biologie en wiskunde is dan aan te raden.

Opleidingen

Er zijn in Nederland een groot aantal regionale vervolgopleidingen die een opleiding aanbieden op het gebied van paarden. Zulke opleidingen heten bijvoorbeeld paardenhouderij, *equine bussiness* of hippische bedrijfskunde. Vaak kun je dan als hoofdvak "paarden" kiezen. Je krijgt lessen over het houden en verzorgen van paarden, maar ook over de zakelijke kant. Elke studie legt de nadruk op een ander deel van het werken met paarden.

VMBO
Vanuit het vmbo kun je kiezen voor een mbo-opleiding.
Het middelbaar beroepsonderwijs (mbo) kent twee leerwegen, namelijk de BOL en de BBL

BOL wil zeggen: Beroeps Opleidende Leerweg
Bij deze leerweg ga je eerst leren en daarna aan de slag. Je zit dus wat meer in een klaslokaal, maar de lessen zijn vaak praktisch en je loopt ook stage. Bij BOL staat de theorie en het leren centraal. Hoe verder je bent, hoe meer *stages* je loopt.

BBL wil zeggen: Beroeps Begeleidende Leerweg
Bij deze leerweg ga je meteen aan het werk en volg je daarnaast ook nog schoollessen. Eén of twee dagen per week ga je naar school; de andere drie of vier dagen van de week werk je op een bedrijf. Bij BBL is datgene wat je op school leert een aanvulling op wat je in je werk meemaakt.

Op mbo-niveau zijn er twee belangrijke onderwijsinstellingen die een opleiding in de paarden bieden.

Het **Wellantcollege** is een onderwijsinstelling met 27 vestigingen in heel Nederland. Op een aantal daarvan (Aalsmeer, Gorinchem, Houten, Dordrecht en Gouda) kun je de richting “paardenhouderij” kiezen.

Bij al deze scholen krijg je theorie- en praktijklessen en volg je stages op verschillende bedrijven. Je leert omgaan met paarden, voeren, longeren, en ga zo maar door. Natuurlijk doe je dit in de praktijk; de paarden zijn je beste "leraren". Er zijn veel mogelijkheden, je kunt kiezen welke vakken je wilt volgen en waar je je punten wilt verdienen om uiteindelijk een diploma te behalen. Je kunt meer in de praktijk werken of meer 'boekenkennis' opdoen. Dit zal natuurlijk vooral afhankelijk zijn van wat je zelf graag wilt leren en waar jouw voorkeur ligt; maar ook hangt het er natuurlijk vanaf hoe goed je kunt leren. Op deze scholen kun je vaak zelf ideeën aanleveren over wat je graag wilt leren en op welke bedrijven je eens een kijkje wilt nemen.

Kijk voor meer informatie op: www.wellant.nl Klik op het kopje "animal friends" en vervolgens onderaan op "leuke beroepen".

Als je een opleiding volgt moet je ook stage lopen zodat je leert in de praktijk.

Daar kun je doorklikken op het kopje “paardenhouderij”. Bij de vestiging Houten vind je de meeste informatie.

Ook het **Groenhorstcollege** in Barneveld biedt diverse MBO-opleidingen op het gebied van paarden. Je kunt hier kiezen voor de richtingen paardenverzorger, allround paardenverzorger of bedrijfsleider paardenhouderij.
De opleidingen zijn een combinatie van theorie en praktijk. Nabij de school ligt een paardencentrum waar ook veel lessen plaatsvinden. Er zijn veel groene buitenruimtes en dierverblijven. Uiteraard volg je ook stages. Je leert hier alles over paardenhouderij, paardenbenodigdheden, paardenwelzijn en op het hoogste niveau ook heel veel over paardengezondsheidszorg. Daarnaast is er ook aandacht voor je algemene ontwikkeling; denk bijvoorbeeld aan lessen in computervaardigheid, *commerciële* aspecten, omgang met mensen en spreek- en taalvaardigheid.

Meer weten? Kijk op: www.groenhorstbarneveld.nl/cms/opleiding-paardenhouderij

Havo of vwo
Vanuit havo of vwo kun je een hbo-opleiding volgen. Dat is ook mogelijk als je eerst een mbo-opleiding hebt gevolgd.
Met een havo/vwo diploma kun je vaak ook een mbo-opleiding in versnelde vorm volgen.

Bezoek de open dagen van de verschillende opleidingen.

Hogeschool Van Hall Larenstein is de grootste "groene" hogeschool van Nederland. Deze school is verbonden aan de Universiteit van Wageningen. De opleidingen die je hier kunt volgen hebben een *wetenschappelijk* accent: je doet veel praktijkervaring op, maar ook worden je hersenen flink aan het werk gezet. Je moet om zo'n opleiding te volgen dus wel van leren houden! Om toegelaten te worden moet je wel een vwo-diploma hebben of een hbo-opleiding hebben afgerond.

Op de locatie in Leeuwarden kun je de opleiding "Paard en management" volgen. Met deze opleiding kun je bijvoorbeeld aan het werk als organisator van paardensportevenementen of leidinggevende bij een paardenbedrijf. Hierbij kun je denken aan een manege, maar ook aan een fokkerij, een paardenkliniek of een *handelsstal.*
In Wageningen kun je twee internationale opleidingen volgen, die (deels) in het Engels worden gegeven, namelijk *Equine Business* and Economics en *Equine,* Leisure and Sports.
Equine Business lijkt veel op de opleiding in Leeuwarden. Maar dankzij de internationale instelling kun je dan ook aan het werk in het buitenland.
Equine, Leisure and Sports legt de nadruk op de relatie tussen mens en paard. Je leert heel veel over paarden, maar ook over mensen, over communiceren, over *regelgeving* en wetenschap.

Meer weten? Kijk op: www.vanhall-larenstein.nl
Hier lees je veel meer over het studieprogramma,
de mogelijkheden en de vereiste vooropleiding.

De **CAH Dronten** (Christelijke Agrarische Hogeschool) is een wat kleinere school waar je je kunt specialiseren in bedrijfskunde op het gebied van paarden. Je leert naast de praktijkvakken met paarden veel over management en *bedrijfskunde*. Je kunt op deze school wonen op de *campus*. Je huurt dan een kamer en kunt in de mensa (studentenrestaurant) eten. Wonen op de campus is niet verplicht, maar wel erg gezellig. Naast de paardenopleiding zijn er allerlei andere studies (en studenten) op het gebied van landbouw en veeteelt.

Op deze school kun je je paard meenemen; er is een speciale stal waar je paard of pony kan staan en er is ook *weidegang* mogelijk. Het meenemen van een eigen paard is niet verplicht.

Meer weten? Kijk op www.cahdronten.nl
Hier kun je onder andere allerlei filmpjes zien waarin studenten meer vertellen over het leven en studeren bij de CAH.

Alleen maar paarden...
Een plek op zichzelf verdient de **NHB Deurne**, meestal gewoon "Deurne" genoemd. Dit is een mbo-school waar uitsluitend paardenopleidingen gegeven worden. Er zijn ook mogelijkheden je scholing uit te breiden naar hbo-niveau. Sommige opleidingen zijn voltijds, andere zijn ook in deeltijd te volgen. Deurne is een hele grote school: zo zijn er maar liefst drie binnenmaneges en meer dan 200 stallen.

Op Deurne kun je kiezen uit vier richtingen:

- Paardensport

- Horse & Health
- Horse & Leisure
- Hoefsmid

Bij de afdeling Paardensport wordt je opgeleid tot professionele ruiter of trainer, tot instructeur of manager. Afhankelijk van je sportniveau kun je in een basisopleiding instappen, op hoger niveau (sportklas) of in de masterclass. Je rijdt elke dag in de dressuur en springlessen en leert ook zelf les geven. Daarnaast wordt er veel discipline van je verwacht op het gebied van vroeg opstaan, verzorging van de stallen en paarden enzovoorts. In de lessen draag je deels door de school voorgeschreven kleding.
Volg je een BOL-opleiding in de richting paardensport, dan verblijf je in de tijd dat je dagelijks naar school gaat, op het terrein.

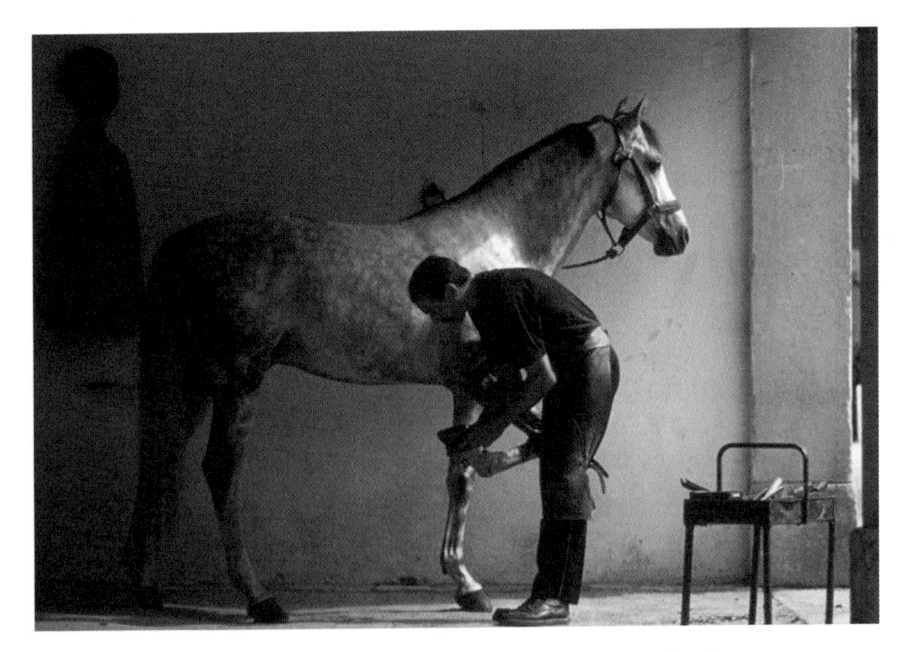

Als hoefsmid ben je ook elke dag met paarden bezig.

Je deelt een kamertje met een andere student. Voor de meeste opleidingen heb je een eigen paard nodig. Let op, niet elk paard is geschikt voor deze opleiding... er worden een aantal eisen aan de dieren gesteld, zoals een minimale *schofthoogte* van 1.60 en een bepaald wedstrijdniveau. De paarden worden gestald in boxen. Er is geen *weidegang* of paddock! In sommige gevallen is het mogelijk een paard van de school te huren.

Bij de afdeling Horse & Health draait het allemaal om gezondheid. (Health betekent: gezondheid) Je leert alles over het gezondhouden van paarden en hun natuurlijk gedrag, anatomie, gezondheidsleer, voeding, voortplanting en communicatie. Daarnaast leer je van alles over hoeven en gebit, over verschillende rassen en EHBO. Na deze opleiding kun je aan de slag als manager op een manege, maar je kunt ook andere vakken kiezen waardoor je dierenartsassistent (paraveterinair) kunt worden. Het is niet de bedoeling dat je een eigen paard meeneemt. Je slaapt ook niet op het terrein.

Bij Horse & Leisure (Leisure = vrije tijd) ben je op je plek als je vooral mensen wilt begeleiden die voor hun plezier op een paard zitten, zoals op een manege. Je leert naast van alles over paarden en hun verzorging veel over het organiseren van activiteiten en *ondernemerschap*. Ook rijden hoort tot het lespakket, maar niet zoveel als in de sportrichting. Je mag een eigen paard meenemen, maar dit is niet verplicht. Je gaat twee dagen per week naar school en loopt de andere drie dagen stage.

Op Deurne kun je ook een opleiding tot *hoefsmid* volgen. Je gaat dan één dag in de week naar school en loopt vier dagen stage bij een *hoefsmid*. Je hoeft niet te rijden en neemt geen eigen paard mee.

Meer weten? Kijk op www.helicon.nl/mbo en klik onder “scholen” op NHB Deurne

Je ziet, er valt een hoop te kiezen... Bij de ene school ligt de nadruk meer op de praktijk, bij de ander op het rijden, de wetenschap of de bedrijfsvoering. Natuurlijk kun je op de websites meer informatie vinden, maar dat zijn allemaal maar woorden. De ene website ziet er veel gezelliger uit dan de andere, maar dat zegt niet zoveel. De beste manier om uit te vinden welke school het beste bij jou past, is om naar de informatieavonden en open dagen te gaan. Dan neem je echt een kijkje op het terrein en kun je de sfeer proeven.
Misschien vind je het zo leuk dat je denkt: ja, dat wil ik! Maar het kan ook zijn dat het je allemaal wat tegenvalt en dat je toch liever wat anders gaat doen. Je hoeft van de paarden niet je werk te maken om ontzettend veel plezier te hebben met je eigen paard of op de manege als klant!

Leren in de praktijk

Er zijn ook heel veel mensen die geen opleiding hebben gevolgd en toch in de paarden zijn gaan werken. Je kunt bijvoorbeeld beginnen met stalwerk op de manege waar je al les hebt. In de praktijk kun je heel veel leren, zeker als je goed luistert naar de mensen om je heen. Het is wel soms een erg lange weg. Bijna niemand wil z'n hele leven stallen uitmesten; als je meer wilt, is het vaak toch erg handig om wat scholing te volgen. Dat kan bijvoorbeeld door allerlei cursussen te volgen. Via de KNHS (de paardensportbond van Nederland) worden allerlei cursussen gegeven om instructeur te worden. Er zijn ook andere bedrijven die je opleiden tot instructeur, soms met een specialisatie zoals gehandicapten, *probleempaarden* of *alternatieve* manieren van rijden (western, bijvoorbeeld).
Daarnaast zijn er ontzettend veel mogelijkheden om allerlei andere dingen te leren: van *longeren* tot *paardenfluisteren*, van dameszadelrijden tot *massagetechnieken* of *hoefbekappen*. Overal in het land zijn grote en kleine bedrijven die weekendcursussen aanbieden of wat langere deeltijd-opleidingen. Teveel om in dit boekje allemaal op te noemen. Als je eenmaal begint, zul je merken dat

je nooit uitgeleerd raakt. Er is zoveel te leren dat je steeds weer verbaasd zult staan over nieuwe kennis. Daarom is het zo belangrijk om vooral te leren dat er heel veel verschillende manieren zijn om met paarden om te gaan, te verzorgen en te rijden. Wat de een geweldig vindt, is slecht in de ogen van een ander. De een wil per se dat z'n paard buiten loopt in een groep paardenvrienden, de ander zet zijn paard liever in een lekker warm stalletje. De een wil elke week aan wedstrijden mee doen, de ander rijdt liever in het bos. Zo zijn er heel veel verschillende meningen.
Misschien is dat wel de allereerste les als je later met paarden wilt gaan werken: probeer altijd open te staan voor wat een ander je vertelt. Vooral als die ander een paard is!

Tenslotte: Andere beroepen met paarden

Waarschijnlijk is de manege de plek waar je de meeste paarden kent. Maar er zijn nog veel meer beroepen waar je veel met paarden te maken hebt. Denk maar eens aan paarden-veearts, *hoefsmid* of paardenfokker. Of aan mensen die *fysiotherapie* aan paarden geven, tandarts voor paarden zijn of *probleempaarden* heropvoeden. Of misschien zou je het leuk vinden om een bedrijfje te hebben waar mensen met hun paard vakantie kunnen vieren, of wat dacht je van een baan met renpaarden of *dravers*? Ook kun je in een ruitersportzaak werken, zadelpasser worden of *groom* zijn van een bekende ruiter. Of misschien lijkt het je gaaf om bij de *bereden politie* te werken of in een paardencircus...
Kortom, ook als de manege niet helemaal jouw ding is zijn er mogelijkheden genoeg om met paarden te werken!

4. In de praktijk

Miranda is achttien en werkt als stalhulp en instructrice op Manege Boszicht, een gezellige manege die, zoals de naam al zegt, dicht bij een groot bos ligt. Ze vertelt het een en ander over haar werk.

Hoe is het om op een manege te werken?
Miranda: “Het is geweldig! Ik vind het echt heel leuk om te doen, je bent de hele dag bij de paarden – nou, iets beters kan ik me niet voorstellen. Natuurlijk heb ik ook wel eens een dag dat de wekker gaat en ik denk: o, moet ik nu alweer op? We beginnen namelijk al om zeven uur. In de winter is het dus nog donker als ik op de manege aankom. Binnenkomen is heel leuk; alle paarden begroeten je dan. Ze hebben een speciaal soort geluidje, een zacht soort hinnik, dat betekent zoiets als “ha, fijn, eten!” Of ze schoppen tegen hun deur om te zeggen dat we moeten opschieten.
Ik werk ’s ochtends samen met Sofie. We voeren dan alle paarden. We hebben altijd veel lol, maar het is ook wel hard werken hoor. Gelukkig woon ik niet ver van de manege, het is tien minuten fietsen. Ik kom hier al sinds ik acht ben, ik heb hier leren rijden en ik ken alle paarden en pony’s dus heel goed.”

Wanneer ben je begonnen op de manege?
“Ik hielp al een beetje mee vanaf mijn twaalfde. Als ik dan een middag hielp met uitmesten of vegen of iets anders, dan mocht ik een uurtje extra rijden. Vorig jaar heb ik mijn havo afgemaakt, maar ik wist nog niet goed wat ik verder wilde. Dus toen ben ik hier vast gaan werken. Ik werk nu vier dagen. Ik doe veel in de stallen en help de klanten met hun paard of pony opzadelen, beugels op maat maken, opstijgen en na de les weer op stal zetten. Sinds twee maanden mag ik op zaterdag twee kinderlessen draaien, één echte beginnersles en een voor gevorderden. Met de

gevorderdengroep maak ik vaak buitenritten. Martin is mijn baas, hij is eigenaar van de manege en hij leert me zoveel mogelijk over paarden. Martin loopt zelf ook de hele dag rond, alleen hij komt een uurtje later binnen, haha, kan hij een beetje uitslapen. Martin is heel oké, we krijgen best wel veel vrijheid, hij loopt niet de hele dag achter je aan om te zeggen wat je moet doen. Vorige week ben ik met hem mee geweest om naar een nieuwe pony te kijken. Ik vond 'm heel erg leuk, een bonte was het, met één blauw en één bruin oog. Heel apart en een echte knuffel. Maar we hebben hem niet gekocht, want hij had een verkeerde beenstand. Martin dacht dat hij niet sterk genoeg zou zijn om op de manege te werken. Dus nu gaan we volgende week weer verder zoeken."

Hoeveel paarden en pony's heeft de manege?
"We hebben veertien paarden en tien pony's. In de lessen hebben we meestal vijf of zes ruiters, maar als het heel druk is ook wel eens wat meer. De klanten mogen zelf poetsen en zadelen. De

Miranda is heel enthousiast om te werken op de manege.

En het is ook leuk om anderen te leren omgaan met paarden.

meeste kunnen dat goed, maar bij de beginners helpen Sofie en ik altijd even.”

Wat zijn de leuke en minder leuke kanten van je werk?
“Het leuke is natuurlijk dat ik de hele dag met paarden werk! Ik mag ook vaak de paarden en pony’s rijden die nog beweging nodig hebben of die nog niet in de lessen mogen lopen omdat ze kreupel zijn geweest of te moeilijk zijn. Minder leuk is het zware werk, het uitmesten, vegen en *kuilgras* voeren met de kruiwagen, dan voel je je armen en je rug wel hoor! Wat echt helemaal niet leuk is, is als er iets naars gebeurt. Vorig jaar is er iemand zo rot van haar paard gevallen, dat ze naar het ziekenhuis moest met de

ambulance. Gelukkig is ze nu weer helemaal beter, en ze rijdt ook weer.
En soms gaan er paarden weg. Martin verkoopt soms een paard als het niet meer geschikt is voor de lessen. Soms wil een klant dat paard dan hebben. Dan gaan ze wel naar een andere stal, want we hebben geen *pensionpaarden*, daar is geen ruimte voor. Een van mijn lievelingspaarden, Namara, is naar de slacht gegaan. Dat vond ik echt heel erg, maar ze had hoefkatrolontsteking, en dat was niet te genezen. Ze had veel pijn, dus het was beter voor haar, maar toen heb ik wel heel erg moeten huilen. Martin ook trouwens, die kan wel heel stoer doen, maar hij houdt wel veel van de paarden hoor."

Wat zijn je toekomstplannen?
"Ik ben aan het sparen voor een eigen paard. Op dit moment rijd ik het meeste op Moonlight, een grote pony van 1.54. Zij is zes en moet nog veel leren, ze is nogal eigenwijs en beginners kunnen niet op haar rijden, dan gaat ze alleen maar in het midden staan of ze gooit voortdurend met haar hoofd. Maar voor mij wil ze wel werken, dus ik rij haar bijna elke dag. We hopen dat ze op den duur wel goed in de lessen kan lopen. Het gaat wel steeds beter. Zelf zou ik graag een groot paard willen, waar ik ook dressuurwedstrijden mee kan gaan rijden. Dat is nu nog een droom, ik verdien niet zo heel veel, en een goed paard is duur."

En een opleiding?
"Ik weet nog niet zeker wat ik wil. Ik ga in elk geval naar twee open dagen, een op Deurne en een op het CAH. Dat zijn allebei paardenopleidingen. Ik zou wel graag meer willen, misschien eens op een andere manege werken of op een stoeterij. Dat is een paardenfokkerij, dat lijkt me ook geweldig, allemaal veulentjes... Ik weet inmiddels wel zeker dat ik verder met paarden wil!"

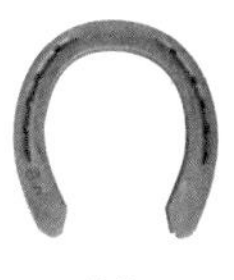

Verklarende woordenlijst

Aan de hand stappen	–	wandelen met het paard, meestal om het dier rustig te laten bewegen vanwege een blessure
Alternatief	–	anders, meestal meer volgens de regels van de natuur.
Bedrijfskunde	–	schoolvak dat zich bezig houdt met hoe je een bedrijf opzet en beheert.
Bereden politie	–	politie te paard
Biks	–	harde korrels van granen, paardenvoedsel
Blessure	–	probleem waardoor het paard niet bereden kan worden
Campus	–	terrein van de school
Commercieel	–	gericht op geld verdienen
Dameszadelrijden	–	rijden met beide benen aan dezelfde kant van het paard, zoals vrouwen in sommige landen vroeger deden.
Dravers	–	paarden die voor een karretje (sulky) zo hard mogelijk draven op wedstrijden. Ze mogen niet galopperen.
Dressuurrijden	–	manier van paardrijden gericht op het gezond en sterk houden van het paard onder de ruiter. Ook: wedstrijdsport.
Equine business		(Hippische bedrijfskunde) – schoolvakken op paardenopleidingen.
Fysiotherapie	–	methode om paarden beter te laten bewegen door massage, rek- en strekoefeningen enz.

Groom	–	paardenverzorger voor bijvoorbeeld wedstrijdruiters.
Handelsstal	–	stal waar paarden worden gekocht en verkocht.
Hoefbekappen	–	vijlen van de hoeven wanneer deze te lang worden; een soort nagels knippen.
Hoefsmid	–	man of vrouw die paarden bekapt of hoefijzers onder de voeten slaat.
Kuilgras	–	gras dat niet helemaal gedroogd wordt, zoals hooi, maar ingepakt in plastic. Het behoudt meer voedingswaarde.
Longeren	–	het paard in cirkels om je heen laten lopen aan een lang touw
Massagetechnieken	–	manieren om te masseren.
Ondernemersschap	–	de manier waarop je een bedrijf leiding geeft.
Paardenfluisteraar	–	iemand die erg goed om kan gaan met moeilijke paarden.
Pensionpaard	–	paard dat niet van de manege is, maar van een klant
Probleempaarden	–	paarden die niet zomaar doen wat je zegt, maar bv bokken, steigeren, bijten of ander gedrag vertonen waar mensen niet van houden. Vaak het gevolg van menselijke fouten.
Regelgeving	–	wetten en regels.
Schofthoogte	–	punt onderaan de hals waar een paard wordt gemeten.
Springlessen	–	lessen waarin over hindernissen wordt gesprongen.
Stage	–	werken om te leren

Liefde voor paarden begint al vroeg.

Stress	–	spanning, moeilijke uitdagingen
Struikrovers	–	dieven die mensen die op reis waren in koetsen of te paard, beroofden.
Temperament	–	zegt iets over het karakter van het paard. Een paard met veel temperament is wat sneller en schrikachtiger dan een paard met weinig temperament
Weidegang	–	op de wei staan.
Westernmaneges	–	maneges waar men western rijdt, de stijl van cowboys.
Wetenschappelijk	–	gebaseerd op onderzoek.
IJslanders	–	kleine paardjes uit IJsland die speciale eigenschappen hebben.

Bronnen

Internet:
www.wellant.nl
www.groenhorstbarneveld.nl/cms/opleiding-paardenhouderij
www.vanhall-larenstein.nl
www.cahdronten.nl
www.helicon.nl/mbo

Meer lezen:
Boeken:
-Zijl, Monique van: De manege. Uitg.Wolters-Noordhoff, 2007
ISBN 9789001103156

-Zon, Janna van: De ruiter. Uitg. Zuid Boekprodukties, 1984
ISBN 9062483771

-Zon, Janna van: Paardrijden. Uitg. Zuid Boekprodukties, 1990
ISBN 9062486665

Internet:
http://www.groenonderwijs.com/media/bijlagen//007_AOC_PDF_AF.pdf
www.groenewelle.nl/paardenhouderij
http://www.opleidingenberoep.nl/ts/ob/view_generic_entity.php?generic_entity_exists=true&selected_entity_id=706&generic_entity_name=educations
http://www.aoc-oost.nl/mbo/maxidoc/uploaded_maxidoc/pfd/Animal%20friends%20-%20Paardenhouderij%20-%20n3%20-%20n4%20ws.pdf
http://www.beroepenkrant.nl/beroep.asp?id=487
http://www.stenden.com/nl/studies/bachelor/horsebusinessmanagement/Pages/Beroep.aspx

Reeds verschenen in de WWW-reeks:

WWW-SERIE

Deel 1 Ku Klux Klan
Ton Vingerhoets
ISBN 978-90-76968-12-4

Deel 2 Amish
Ton Vingerhoets
ISBN 978-90-76968-13-1

Deel 3 Jaren zestig
Ton Vingerhoets
ISBN 978-90-76968-14-88

Deel 4 Brandweer
Ton Vingerhoets
ISBN 978-90-76968-35-3

Deel 5 Musical
Ton Vingerhoets
ISBN 978-90-76968-36-0

Deel 6 Politie
Yono Severs
ISBN 978-90-76968-43-8

Deel 7 Voodoo
Saskia Rossi
ISBN 978-90-76968-44-5

Deel 8 Aboriginals
Ton Vingerhoets
ISBN 978-90-76968-37-7

Deel 9 Motorcross
Wilfred Hermans
ISBN 978-90-76968-59-9

Deel 10
Koninklijke Landmacht
Ton Vingerhoets
ISBN 978-90-76968-60-5

Deel 11
Koninklijke Luchtmacht
Ton Vingerhoets
ISBN 978-90-76968-61-2

Deel 12 Koninklijke Marine
Ton Vingerhoets
ISBN 978-90-76968-62-9

Deel 13 Maffia
Saskia Rossi
ISBN 978-90-76968-58-2

Deel 14 Nelson Mandela
Yono Severs
ISBN 978-90-76968-76-6

Deel 15 Martin Luther King
Yono Severs
ISBN 978-90-76968-77-3

Deel 16 Tatoeages, Piercings en andere lichaamsversieringen
Connie Harkema
ISBN 978-90-76968-78-0

Deel 17 El Niño
Saskia Rossi
ISBN 978-90-76968-79-7

Deel 18 Coca-Cola
Ton Vingerhoets
ISBN 978-90-76968-71-1

Deel 19 Vandalisme
Ton Vingerhoets
ISBN 978-90-76968-72-8

Deel 20
Breakdance/Streetdance
ISBN 978-90-76968-84-1
NOG NIET VERSCHENEN!

Deel 21 Kindsoldaten
Carla Gielens
ISBN 978-90-76968-51-3

Deel 22 Doodstraf
Carla Gielens
ISBN 978-90-76968-50-6

Deel 23 De Spijkerbroek
Connie Harkema
ISBN 978-90-76968-85-8

Deel 24
CliniClowns
Yono Severs
ISBN 978-90-76968-84-1

Deel 25
Unicef
PaulineWesselink
ISBN 978-90-8660-005-2

Deel 26
Walt Disney
Jackie Broekhuijzen
ISBN 978-90-8660-006-9
NOG NIET VERSCHENEN!

Deel 27 De Berlijnse muur
Ton Vingerhoets
ISBN 978-90-8660-007-6

Deel 28 Bermuda driehoek
Ton Vingerhoets
ISBN 978-90-8660-008-3

Deel 29 Stripverhalen
Bert Meppelink
ISBN 978-90-8660-023-6
NOG NIET VERSCHENEN!

Deel 30 Formule 1
Ton Vingerhoets
ISBN 978-90-8660-024-3

Deel 31 Vuurwerk
Ton Vingerhoets
ISBN 978-90-8660-025-0

Deel 32 Graffiti
Nora Iburg
ISBN 978-90-8660-026-7
NOG NIET VERSCHENEN!

Deel 33 Vietnam-oorlog
Ton Vingerhoets
ISBN 978-90-8660-044-1

Deel 34 Kleurenblindheid
Carla Gielens
ISBN 978-90-8660-045-8
NOG NIET VERSCHENEN!

Deel 35 Artsen Zonder
Grenzen
Pauline Wesselink
ISBN 978-90-8660-046-5

Deel 36 Loverboys
Yono Severs
ISBN 978-90-8660-047-2

Deel 37 Doping
Ep Meijer
ISBN 978-90-8660-048-9

DEEL 38 T/M 42 NOG NIET
VERSCHENEN

Deel 43 Drugsverslaving
M. Gay-Balmaz en
M. Kooiman
ISBN 978-90-8660-075-5

Deel 44 Kinderarbeid
M. Kooiman en
M. Gay-Balmaz
ISBN 978-90-8660-076-2

Deel 45 Greenpeace
Rudy Schreijnders
ISBN 978-90-8660-087-8

Deel 46 Attractieparken/
pretparken
Christine Bruggink
ISBN 978-90-8660-088-5

WWW-TERRA

Deel 1 Indonesië
Saskia Rossi
ISBN 978-90-8660-009-0

Deel 2 Tibet
Esther Nederlof
ISBN 978-90-8660-010-6

Deel 3 Oostenrijk
Yono Severs
ISBN 978-90-8660-011-3
Deel 4 Friesland
Yono Severs
ISBN 978-90-8660-012-0

Deel 5 Canada
Pauline Wesselink
ISBN 978-90-8660-013-7

Deel 6 Suriname
Pauline Wesselink
ISBN 978-90-8660-027-4

Deel 7 Thailand
Yono Severs
ISBN 978-90-8660-028-1

Deel 8 Turkije
Yono Severs
ISBN 978-90-8660-029-8
NOG NIET VERSCHENEN!

Deel 9 De Wadden
Yono Severs
ISBN 978-90-8660-030-4

Deel 10: Duitsland
Carla Gielens
ISBN 978-90-8660-043-4
NOG NIET VERSCHENEN!

Deel 11: Italie
Saskia Rossi
ISBN 978-90-8660-058-8

Deel 12: Israël
Wilfred Hermans
ISBN 978-90-8660-059-5

Deel 13: Zuid-Afrika
Pauline Wesselink
ISBN 978-90-8660-122-6

WWW-BEROEPEN

Deel 1A Werken in de sport:
Topsport
Esther Nederlof
ISBN 90-76968-69-1

Deel 1B Werken in de sport:
Recreatiesport
Petra Verkaik
ISBN 978-90-8660-018-2

Deel 2 De kraamverzorging
Carla Gielens
ISBN 90-76968-49-7

Deel 3 De kapster/kapper
Yono Severs
ISBN 90-76968-91-8

DEEL 4 EN 5 NOG NIET VERSCHENEN

Deel 6: Werken in de dierentuin
Suzanne Peters
ISBN 978-90-8660-040-3

DEEL 7 EN 8 NOG NIET VERSCHENEN

Deel 9: Werken als piloot
Jan van Evert
ISBN 978-90-8660-060-1

Deel 10: Werken in het Dolfinarium
Suzanne Peters
ISBN 978-90-8660-077-9

DEEL 11 NOG NIET VERSCHENEN

Deel 12A:
Werken in de manege
(Werken met paarden)
Edith Louw
ISBN 978-90-8660-107-3

WWW-SPORT, SPEL & DANS

Deel 1 Skateboarden
Dolores Brouwer
ISBN 978-90-8660-039-7

Deel 2 De geschiedenis van de Olympische Spelen
Saskia Rossi
ISBN 978-90-8660-061-8